Marie-C

Le secret [illegible] Louise

Adaptation et activités de **Didier Roland**

Illustrations de **Giulia Ghigini**

Rédaction : Sarah Negrel, Valeria De Tommaso
Direction artistique et conception graphique : Nadia Maestri
Mise en page : Carlo Cibrario-Sent, Simona Corniola
Recherche iconographique : Alice Graziotin

Première édition : janvier 2012

Crédits photographiques : Photos.com; IstockPhoto; DreamsTime; Karen Wilson / Getty Images: p32; Michael Busselle / Robert Harding / CuboImages:p33; Getty Images p52 tl.

Vous trouverez sur le site blackcat-cideb.com (espace étudiants et enseignants) les liens et adresses Internet utiles pour compléter les dossiers et les projets abordés dans le livre.

Pour toute suggestion ou information, la rédaction peut être contactée à l'adresse suivante :

info@blackcat-cideb.com

ISBN 978-88-530-1215-9 livre + CD

Imprimé en Italie par Italgrafica, Novara

Sommaire

Le texte est intégralement enregistré.

Ce symbole indique les chapitres et les activités enregistrés et le numéro de leur piste.

DELF Les exercices qui présentent cette mention préparent aux compétences requises pour l'examen.

Personnages

De gauche à droite et de haut en bas : **Lucas, Laurent, Emma, Manon, Thomas et les traficants d'œuvres d'art**.

Le pont de Pierre

Bordeaux

Bordeaux est une ville du sud-ouest de la France. Elle compte environ 236 000 habitants et se trouve dans le département de la **Gironde**, dans la région **Aquitaine**. Pour la trouver sur la carte de France, c'est très facile ! Bordeaux se trouve au bout de l'estuaire[1] de la Gironde, là où la Garonne se jette dans l'océan Atlantique ! Qu'attendez-vous ? Venez découvrir cette ville aux multiples visages !

Bordeaux, ville culturelle

C'est peut-être grâce aux *Essais* de **Montaigne** (1533-1592) ou à *L'esprit des lois* de **Montesquieu** (1689-1755), écrivain des Lumières, que de nombreux Bordelais ont décidé de devenir écrivain, artiste ou peintre. Eh oui, c'est peut-être pour ça que **Pierre Lacour** (1745-1814) a commencé à peindre, **François Mauriac** (1885-1970) à écrire et **Sempé** (1932) à dessiner *Le Petit Nicolas* !

1. **Un estuaire** : endroit où un fleuve se jette dans la mer.

Le Port de la Lune

Bordeaux, ville de beauté

Depuis quelques années, la mairie a entrepris de rénover la ville. Il vous suffira de prendre le tram pour admirer le **pont de Pierre** et ses lampions, la **place de la Bourse** qui se reflète dans son miroir d'eau ou bien encore la **place de la Victoire**. N'oubliez pas de faire un détour par le quartier du **Port de la Lune**, classé au patrimoine de l'Unesco depuis 2007.

Bordeaux, ville active

Il est difficile de parler de Bordeaux sans parler de l'activité qui l'a rendue célèbre : la **viticulture**. Qui ne souhaite pas acheter une bouteille de l'un de ces grands châteaux : Lafite-Rothschild, Latour, Margaux, Mouton Rothschild ou Haut-Brion ?
Depuis quelques années, Bordeaux joue également un rôle important dans l'**aéronautique**, puisque c'est là que sont fabriqués les

propulseurs de la fusée Ariane et les cockpits de l'Airbus A380. Ces derniers sont ensuite envoyés à Toulouse sur des péniches[2].

Bordeaux, ville de records

Si vous avez envie de faire un peu de shopping, pas de problèmes ! Il vous suffit de marcher le long de la **rue Sainte-Catherine**, la plus longue rue piétonne d'Europe ! 1 250 mètres de magasins de toutes sortes. À la fin de la rue, vous arriverez à proximité de la **place des Quinconces**... Grâce à ses 126 000 m², elle est encore plus grande que la place Rouge de Moscou !
Si vous êtes en voiture, vous prendrez très certainement la rocade[3]. Alors, faites attention de prendre la bonne sortie, parce que 45 km, c'est long, c'est très long, c'est même le plus long périphérique de France !

2. **Une péniche** : bateau à fond plat utilisé pour naviguer sur les fleuves.
3. **Une rocade** : route périphérique.

Compréhension écrite

1 Lisez le dossier, puis cochez la bonne réponse.

1 Bordeaux se trouve au
- a ☐ sud-ouest de la France.
- b ☐ sud-est de la France.
- c ☐ nord de la France.

2 Sempé dessine un personnage qui s'appelle
- a ☐ Petit.
- b ☐ Nicolas.
- c ☐ Mauriac.

3 François Mauriac est un
- a ☐ peintre.
- b ☐ joueur de football.
- c ☐ écrivain.

4 Un Mouton Rothschild est un
- a ☐ animal.
- b ☐ château viticole.
- c ☐ nom d'usine.

5 Ariane est
- a ☐ le prénom du maire de Bordeaux.
- b ☐ le nom d'une fusée.
- c ☐ le nom d'un quartier.

6 Dans la rue Saint-Catherine, il y a des
- a ☐ piétons.
- b ☐ voitures.
- c ☐ piétons et des voitures.

7 La place Rouge est
- a ☐ plus
- b ☐ aussi
- c ☐ moins

grande que la place des Quinconces.

Avant de lire

1 Les mots suivants sont utilisés dans le chapitre 1. Associez chaque mot à l'image correspondante.

a un sac à dos **b** le palier **c** un magret de canard **d** une limonade

2 Associez les expressions soulignées à leur signification.

1	☐ La police lutte contre le vol.	a	Grand rassemblement de personnes.
2	☐ C'est un trafic d'œuvres d'art.	b	Argent versé par l'État à un étudiant.
3	☐ Quelle foule devant le théâtre !	c	Ensemble des règles d'un État.
4	☐ J'ai une bourse d'études.	d	Préparée.
5	☐ J'étudie le droit.	e	Combat.
6	☐ Je ne suis pas prête !	f	Vente illégale.

CHAPITRE 1

Une nouvelle locataire

Une jeune fille blonde soupire et laisse tomber un énorme sac à dos sur le palier, en haut des escaliers. Elle contrôle les noms écrits sur la sonnette, puis elle appuie sur le bouton. La porte s'ouvre aussitôt [1] et une jeune fille aux cheveux roux et bouclés l'accueille :

— Salut ! Tu es Emma, n'est-ce pas ? Moi, c'est Manon. Entre !

Emma suit Manon dans un long couloir qui mène à une petite cuisine. Un jeune homme est assis. Il est grand, barbu, et porte des lunettes.

— Je te présente Emma, dit Manon.

— Salut Emma ! Moi, c'est Thomas !

— Emma, tu veux un café ou tu préfères aller voir ta chambre ? demande Manon.

— Je veux bien un café et un verre d'eau aussi, s'il te plaît. J'ai une de ces soifs !

1. **Aussitôt** : immédiatement.

Les trois jeunes font connaissance : Manon est étudiante en droit et elle vient de Pau[2], Thomas est étudiant en pharmacie, et il vient de Périgueux[3]. Quant à Emma, elle est allemande et elle vient de Nuremberg, en Bavière. Elle étudie les langues à l'université de Munich et a obtenu une bourse d'études pour perfectionner son français. Emma parle déjà bien la langue parce que sa mère est d'origine française.

— J'ai très envie de connaître le pays de ma mère ! dit la jeune Allemande. Visiter la France, ses grandes villes et mieux connaître ses habitants...

— Tu as raison ! répond Manon. C'est une très bonne idée ! Viens, je vais te montrer ta chambre.

Pendant que Manon aide Emma à s'installer, elle lui dit :

— Ce soir, on va en boîte[4]. Tu viens avec nous ou tu es trop fatiguée ?

— En fait, je n'aime pas trop aller en boîte ... Mais je n'ai pas envie de passer ma première soirée toute seule. Alors, je viens ! À quelle heure je dois être prête ?

— Vers 22 heures, dit Manon. Mais avant, on dîne tous les trois ensemble. Je vais te faire un bon magret de canard. C'est une spécialité du sud-ouest. Tu vas voir, c'est délicieux !

Après le dîner, les trois jeunes gens se rendent en discothèque. Thomas et Manon connaissent bien la discothèque parce qu'ils y vont souvent le samedi soir. Elle se trouve un peu en dehors de la ville.

2. **Pau** : ville principale du département des Pyrénées-Atlantique.
3. **Périgueux** : ville principale du département de la Dordogne.
4. **Une boîte** (fam.) : discothèque.

Lorsqu'ils arrivent, la discothèque est bondée [5]. Thomas et Manon se dirigent immédiatement vers la piste de danse, mais Emma préfère s'asseoir dans un coin pour observer la foule. Elle ne reste pas seule très longtemps.

— Salut ! Je peux m'asseoir à côté de toi ? demande un jeune homme.

— Euh, oui... répond Emma.

— Je m'appelle Lucas. Et toi ?

— Moi, c'est Emma.

— Ça te dit d'aller danser ?

— Non, merci. Je suis désolée, mais je suis un peu fatiguée...

— Tu veux boire quelque chose, alors ?

— Oui, je veux bien une limonade, s'il te plaît.

Quand Lucas revient du bar, il raconte à Emma qu'il est de Toulouse, mais travaille à Bordeaux. Il est policier dans une unité spéciale qui lutte contre le vol et le trafic d'œuvres d'art. Un peu plus tard, Thomas et Manon quittent la piste et viennent s'asseoir avec eux parce qu'ils sont fatigués.

La jeune Allemande trouve Lucas très sympathique. Avant de se quitter, ils échangent leurs numéros de téléphone et décident de se revoir.

5. **Bondé** : rempli de gens.

Compréhension écrite et orale

DELF **1 Écoutez l'enregistrement du chapitre, puis cochez la bonne réponse.**

1 La jeune fille blonde s'appelle
- **a** ☐ Emma.
- **b** ☐ Gina.
- **c** ☐ Greta.

2 Elle fait la connaissance
- **a** ☐ d'un garçon
- **b** ☐ d'une fille
- **c** ☐ d'un garçon et d'une fille.

3 Elle vient de
- **a** ☐ Nuremberg
- **b** ☐ Périgueux.
- **c** ☐ Pau.

4 Manon étudie
- **a** ☐ les langues.
- **b** ☐ le droit.
- **c** ☐ les mathématiques.

5 La mère d'Emma est
- **a** ☐ française.
- **b** ☐ italienne.
- **c** ☐ allemande.

6 Le soir même, les jeunes vont
- **a** ☐ en discothèque.
- **b** ☐ au cinéma.
- **c** ☐ au théâtre.

2 Devinez quel personnage se cache derrière chaque affirmation.

1 Elle étudie à l'université de Munich. ....
2 Elle veut visiter les villes françaises. ....
3 Elle prépare un magret de canard. ....
4 Il est étudiant en pharmacie. ....
5 C'est un policier. ....
6 Il est barbu. ....
7 Il offre une limonade à Emma. ....
8 Elle a les cheveux roux et bouclés. ....

Enrichissez votre **vocabulaire**

3 Écoutez l'enregistrement et dites dans quelle pièce de la maison se trouve chaque personnage.

1 ☐ La salle de bains

2 ☐ La chambre

3 ☐ Le salon

4 ☐ La cuisine

4 Associez chaque mot à son contraire.

1 ☐	petit	a	rarement
2 ☐	bondé	b	vieux
3 ☐	jeune	c	mal
4 ☐	bien	d	vide
5 ☐	bon	e	grand
6 ☐	souvent	f	mauvais

Grammaire

L'accord de l'adjectif avec être

Avec l'auxiliaire **être**, il faut accorder l'adjectif en **genre** et en **nombre** avec le sujet.

Sujet masculin → l'adjectif ne change pas de forme

Sujet masculin pluriel → adjectif + **s**

Sujet féminin → adjectif + **e**

Sujet féminin pluriel → adjectif + **es**

Il est grand et barbu.

Emma est allemande.

Thomas et Lucas sont fatigués.

Emma et Manon sont contentes.

5 Accordez l'adjectif lorsque cela est nécessaire.

1 Manon et Emma sont jeune............... .
2 Thomas est sympathique............... .
3 Toutes les jupes de Manon sont bleu............... .
4 La mère d'Emma est français............... .
5 Manon est petit............... , mais Emma est très grand............... .
6 Les amis de Thomas sont intéressant............... .
7 Manon, tu es français............... ou allemand............... ?
8 Lucas est sympathique............... .

Production écrite et orale

DELF **6 Décrivez votre meilleur(e) ami(e). Indiquez sa taille, la couleur de ses yeux et de ses cheveux. Parlez également de son caractère.**

Avant de lire

1 Les mots suivants sont utilisés dans le chapitre 2. Associez chaque mot à la définition correspondante.

a une vendeuse **b** une pointure **c** une terrasse **d** un ingrédient

1 ☐ Élément qui compose une recette.
2 ☐ Taille des chaussures.
3 ☐ Partie d'un café ou d'un restaurant qui se trouve à l'extérieur.
4 ☐ Personne qui vend quelque chose dans un magasin.

2 Les expressions soulignées sont utilisées dans le chapitre 2. Cochez la bonne réponse.

1 Ces chaussures vous vont très bien.
  a ☐ Les chaussures sont trop grandes.
  b ☐ Les chaussures sont trop petites.
  c ☐ Les chaussures sont parfaites pour cette personne.

2 Les chaussures sont en solde.
  a ☐ Les chaussures sont vendues avec une réduction.
  b ☐ Les chaussures sont gratuites.
  c ☐ Les chaussures sont très chères.

3 Emma a promis de préparer le dîner pour Manon et Thomas.
  a ☐ Emma s'est engagée à préparer le repas.
  b ☐ Emma va inviter ses amis au restaurant.
  c ☐ Emma a demandé à Manon et Thomas de préparer le repas.

4 Emma boit un verre dans un café.
  a ☐ Emma casse un verre.
  b ☐ Emma a commandé une boisson et la consomme.
  c ☐ Emma a commandé un café et le consomme.

CHAPITRE 2

Une balade en ville

4

Quelques jours après son arrivée, Emma décide de visiter Bordeaux qu'elle ne connaît pas encore très bien.

C'est une belle journée d'automne et elle n'a pas cours aujourd'hui. Emma a aussi besoin d'une nouvelle paire de chaussures, elle va donc en profiter pour faire un peu de shopping.

Elle commence par visiter le vieux Bordeaux, sur la rive gauche du fleuve. Elle marche lentement et s'arrête de temps en temps pour admirer les façades des édifices, les places, les monuments... et les vitrines des magasins !

Rue Sainte-Catherine, elle voit des chaussures qui lui plaisent et décide d'entrer dans le magasin pour les essayer.

— Bonjour mademoiselle. Je peux vous aider ? demande poliment la vendeuse.

— Bonjour, répond Emma. Je cherche une paire de chaussures pas trop chères. J'ai vu plusieurs modèles intéressants en vitrine.

— Quelle est votre pointure ?

— Je fais du 38. Je voudrais essayer les bottes noires et les chaussures à talons marron, dit Emma.

La vendeuse apporte plusieurs boîtes et Emma essaie les chaussures les unes après les autres. À la fin, elle décide de prendre les chaussures à talons.

— Elles sont élégantes et très confortables, dit Emma en se regardant dans le miroir.

— Et elles vous vont très bien ! ajoute la vendeuse.

— Combien elles coûtent ? demande timidement Emma.

— 50 euros. Mais elles sont en soldes ! Normalement, elles coûtent 70 euros.

Emma décide de les prendre parce que c'est une bonne affaire.

Une fois sortie du magasin, elle se rappelle qu'elle doit encore faire les courses parce qu'elle a promis de préparer le dîner pour Manon et Thomas. Elle les trouve très gentils et elle veut cuisiner quelque chose de spécial pour les remercier de leur accueil.

Elle entre dans une petite épicerie [1] et achète tous les ingrédients dont elle a besoin. Avant de rentrer, elle s'arrête à la terrasse d'un café pour boire un verre et profiter des derniers rayons de soleil.

1. **Une épicerie** : magasin d'alimentation générale.

Compréhension écrite et orale

1 Écoutez l'enregistrement du chapitre, puis choisissez les mots qui conviennent.

1 Emma se promène pendant une belle journée *d'automne/ de printemps/d'hiver*.
2 Elle veut faire un peu de *jogging/shopping/baby-sitting*.
3 Elle décide *d'essayer/de fabriquer/de balayer* des chaussures.
4 Les chaussures sont en *cuir/rouges/solde*.

2 Lisez le chapitre, puis mettez les phrases dans l'ordre chronologique de l'histoire.

a ☐ Emma boit un verre à la terrasse d'un café.
b ☐ Emma essaie plusieurs paires de chaussures.
c ☐ Emma admire les monuments de la ville.
d ☐ Emma paie les chaussures et sort du magasin.
e ☐ Emma demande le prix des chaussures.
f ☐ Emma achète tous les ingrédients dont elle a besoin pour cuisiner.

3 Relisez le chapitre, puis répondez aux questions.

1 Pourquoi Emma décide-t-elle de visiter Bordeaux ?
2 Quel quartier Emma visite-t-elle tout d'abord ?
3 Dans quelle rue se trouve le magasin de chaussures ?
4 Quelle est la pointure d'Emma ?
5 Comment sont les chaussures que choisit Emma ?
6 Combien coûte la paire de chaussures qu'Emma achète ?
7 Pourquoi Emma décide-t-elle d'acheter les chaussures ?
8 Pourquoi Emma veut-elle remercier Manon et Thomas ?

Enrichissez votre **vocabulaire**

4 Associez chaque type de chaussure à l'image correspondante.

a	des bottes	**d**	des chaussons	**g**	des tennis
b	des tongs	**e**	des ballerines	**h**	des chaussures à talon
c	des sandales	**f**	des espadrilles	**i**	des mocassins

1 ☐

2 ☐

3 ☐

4 ☐

5 ☐

6 ☐

7 ☐

8 ☐

9 ☐

Grammaire

Les homophones

La langue française possède de nombreux homophones. Les homophones sont des mots qui se prononcent de la même manière, mais qui ont une orthographe et un sens différent. Attention aux quiproquos !

Emma boit ***un verre.***

Il existe ainsi :

vert : un adjectif de couleur

un ver : un animal

un vers : une ligne dans un poème

vers : une préposition qui indique la direction.

5 Entourez le mot qui convient pour compléter la phrase.

1 Il regarde la télé plusieurs *fois/foi/foie* par jour.
2 Son *paire/pair/père* s'appelle Stéphane.
3 Cet agriculteur possède de nombreux *chants/champs*.
4 Ces chaussures ne coûtent pas *chair/cher/chaire*.
5 J'ai une carie, j'ai très mal aux *dents/dans*.
6 Julie est ma *tante/tente* : c'est la sœur de ma *mer/mère/maire*.
7 Le prof de maths est absent : on n'a pas *court/cours/courent*.
8 Je *vois/voie/voix* mes amis demain soir.

Production écrite et orale

DELF **6 Présentez la recette de votre plat préféré.**

Avant de lire

1 Les mots suivants sont utilisés dans le chapitre 3. Associez chaque mot à l'image correspondante.

a un cadenas
b un journal intime
c la circulation
d un lit
e une étagère
f un aspirateur

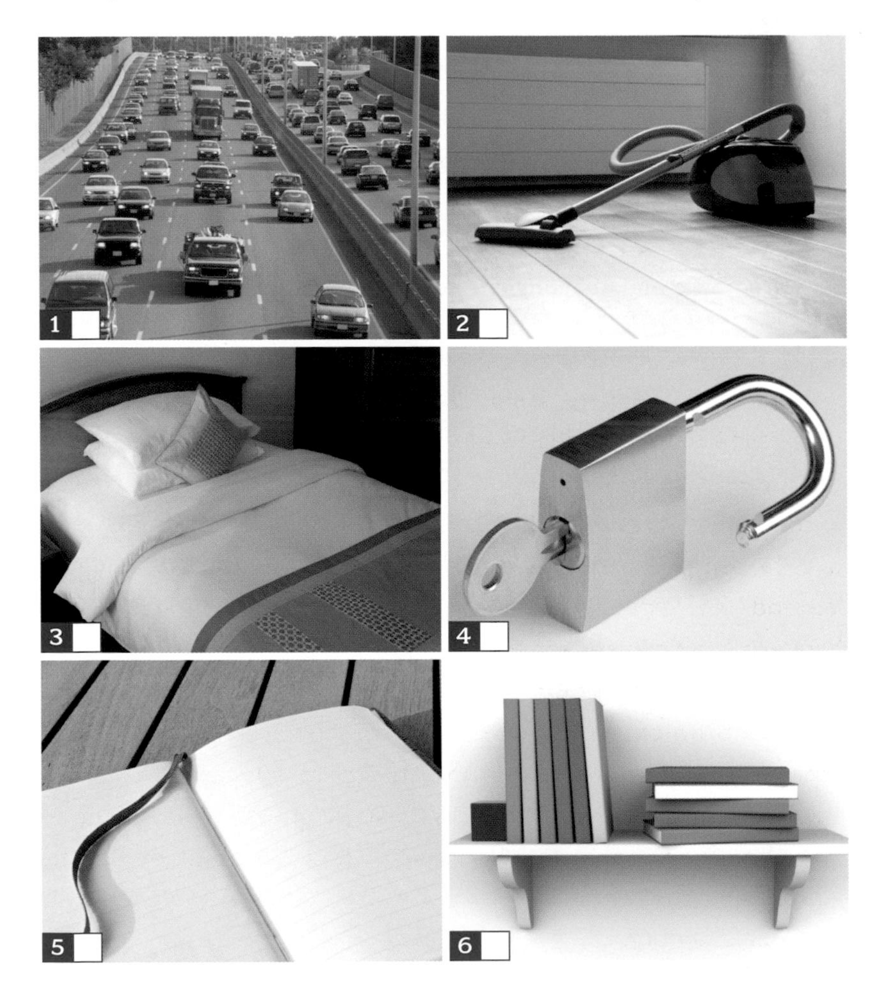
1 ☐ 2 ☐ 3 ☐ 4 ☐ 5 ☐ 6 ☐

CHAPITRE 3

Une étrange découverte

5

Emma est à Bordeaux depuis un mois et elle aime beaucoup sa vie en France.

Pendant la semaine, elle suit des cours à la fac[1]. Le soir, elle sort de temps en temps avec ses amis ou avec Lucas. Elle s'entend bien avec le policier : ils vont au cinéma ou bien il lui fait découvrir la ville et ses environs.

Il fait encore bon et Emma profite de ses week-ends pour faire de belles promenades à vélo. Elle préfère aller à la campagne parce qu'il y a moins de circulation et l'air est plus pur.

Aujourd'hui, c'est samedi. Emma est seule : Manon et Thomas sont chez leurs parents et Lucas travaille. Il pleut et Emma s'ennuie un peu. Elle ne sait pas quoi faire et décide finalement de ranger sa chambre.

1. **La fac** (fam.) : faculté.

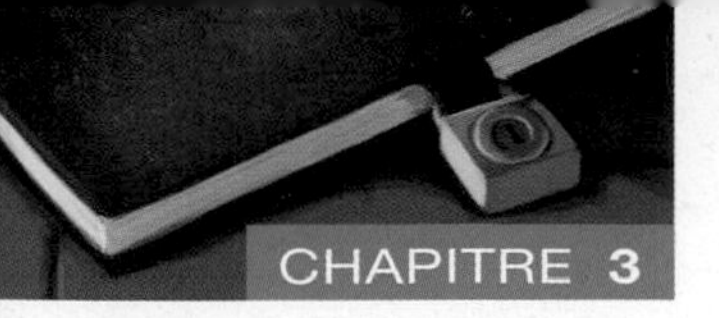

Elle fait la poussière sur son bureau et sur son étagère, puis elle passe l'aspirateur. Sous le lit, l'aspirateur bute contre quelque chose.

« Qu'est-ce qui se passe ? » se demande la jeune Bavaroise.

Elle se baisse pour regarder et voit un objet noir couvert de poussière. Elle tend le bras et le prend.

— Tiens, un journal intime ! s'exclame la jeune fille. Quelqu'un l'a oublié ici...

Elle essaie de l'ouvrir pour trouver le nom de son propriétaire, mais le journal est fermé à clé avec un cadenas.

« C'est étrange..., pense Emma. Fermer un journal à clef pour ensuite le laisser traîner, cela n'a pas de sens ! »

Elle cherche la clé sous le lit, mais ne la trouve pas. Elle se relève et pose le journal intime sur le bureau. « Thomas et Manon savent certainement à qui il appartient. Je vais attendre leur retour. »

Le lendemain, les colocataires d'Emma reviennent de leur week-end en famille avec plein de bons petits plats préparés par leurs mères.

— Alors, qu'est-ce que tu as fait de beau ce week-end ? demande Manon.

— Oh, rien de spécial, répond la jeune fille. Je suis restée ici et j'ai rangé ma chambre. Au fait, j'ai trouvé un journal intime. Vous savez peut-être à qui il appartient...

— Non, répondent les deux amis.

— Attends ! Il appartient peut-être à Louise ! s'exclame Manon quelques minutes plus tard.

— Louise ? C'est qui ? demande Emma.

Les deux Français ne répondent pas tout de suite. Ils se regardent, l'air embarrassé.

Compréhension écrite et orale

DELF **1** **Écoutez l'enregistrement du chapitre, dites si les affirmations sont vraies (V) ou fausses (F), puis corrigez celles qui sont fausses.**

		V	F
1	Emma habite à Bordeaux depuis un an.	☐	☐
2	Emma déteste sa vie en France.	☐	☐
3	Pendant la semaine, elle étudie à la fac.	☐	☐
4	Pendant le week-end, Emma fait des promenades en bateau.	☐	☐
5	Lucas et Emma ne se voient plus.	☐	☐
6	Emma décide de ranger le salon.	☐	☐
7	Emma trouve un journal intime sous son lit.	☐	☐
8	Thomas et Manon rentrent le samedi soir.	☐	☐

6 **2** **Écoutez l'enregistrement, puis indiquez si l'on parle de Louise (L) ou d'Emma (E).**

	L	E
Enregistrement n°1	☐	☐
Enregistrement n°2	☐	☐
Enregistrement n°3	☐	☐
Enregistrement n°4	☐	☐
Enregistrement n°5	☐	☐
Enregistrement n°6	☐	☐

Enrichissez votre **vocabulaire**

Associez les descriptions des électroménagers à l'image correspondante.

a **Un réfrigérateur** : il sert à conserver les aliments au frais. Parfois, il possède aussi un petit congélateur.

b **Un lave-vaisselle** : il sert à nettoyer les verres, les assiettes, les fourchettes, les couteaux et les cuillères !

c **Un four** : il sert à faire cuire des aliments. Il peut être électrique ou à micro-ondes.

d **Une machine à laver le linge** : elle lave, rince et essore tous nos vêtements !

e **Un four micro-ondes** : four qui permet de décongeler les aliments et de les réchauffer rapidement.

f **Un fer à repasser** : il sert à enlever les plis sur les vêtements.

4 Retrouvez le sens de ces expressions avec le verbe *faire*.

1 Il fait bon.
- a ☐ Il cuisine bien.
- b ☐ Il mange avec plaisir.
- c ☐ La température est agréable.

2 Il s'en fait pour son travail.
- a ☐ Il gagne beaucoup d'argent.
- b ☐ Il fabrique un objet à son travail.
- c ☐ Il s'inquiète à propos de son travail.

3 Il fait la poussière.
- a ☐ Il part en courant.
- b ☐ Il enlève la poussière.
- c ☐ Il met de la poussière partout.

4 Il fait la tête.
- a ☐ Il est fâché.
- b ☐ Il va chez le coiffeur.
- c ☐ Il se blesse à la tête.

Production écrite et orale

5 Avez-vous un journal intime ou un blog ? Depuis quand l'avez-vous ? Qu'est-ce que vous écrivez dedans ?

6 Est-ce que vous participez aux tâches ménagères chez vous ? Si oui, qu'est-ce que vous faites ? Si non, pourquoi ne participez-vous pas ?

Les Pyrénées en hiver

L'Aquitaine

L'Aquitaine se compose de cinq départements : la **Gironde**, les **Landes**, la **Dordogne**, le **Lot-et-Garonne** et les **Pyrénées-Atlantiques**. Son relief est très diversifié. Découvrons quelques-uns de ses plus beaux endroits !

La montagne dans les Pyrénées-Atlantiques

Le tourisme, très important dans ce département, se base sur le tourisme des **sports d'hiver** mais également sur le **tourisme vert**. De longues promenades en été, d'interminables descentes en skis en hiver et de l'air pur tout au long de l'année. Ce département est également très apprécié pour sa proximité avec l'Espagne. De plus, chaque année, l'une des villes du département (Pau, le plus souvent) fait partie des étapes du **Tour de France**.

La mer dans les Landes

Prenez votre planche de surf et en avant la glisse ! Hossegor et Lacanau, où est organisé tous les ans, en août, le ***Lacanau Pro***, sont célèbres pour leurs énormes vagues !

Ceux qui préfèrent un peu plus d'originalité pourront aussi surfer... sur le fleuve de la **Garonne** ! En effet, en août et en septembre, lorsque le coefficient de marée est supérieur à 85, se produit le **mascaret** : une grande vague qui remonte l'embouchure d'un fleuve.

Et pour ceux qui préfèrent rester les pieds dans le sable, il est toujours possible d'escalader la **dune du Pyla**, la plus haute dune de sable d'Europe : 107 mètres d'altitude à escalader ou 2,7 km de promenade.

Les surfeurs à Lacanau

La bastide de Monpazier

La campagne en Dordogne

Dans le département de la Dordogne, les petits villages ne manquent pas et émerveillent les touristes : Sarlat-la-Canéda, classée **ville d'art et d'histoire**, l'écomusée [1] du Bournat ou bien encore la bastide [2] de Monpazier.

La vallée de la Vézère rassemble de très importants sites préhistoriques. La **grotte de Lascaux** est probablement le plus connus de tous. En septembre 1940, un jeune garçon, Marcel Ravidat, voulait faire sortir d'un trou un lapin que son chien chassait. C'est comme ça qu'il a découvert cette fabuleuse grotte décorée.

1. **Un écomusée**: musée présentant des habitants dans leur contexte géographique, social et culturel.
2. **Une bastide** : dans le sud-ouest, village fortifié au XVIIe et XIVe siècle.

Compréhension écrite

1 **Lisez les cartes postales et écrivez dans quel département chaque personne a passé ses vacances.**

A Salut tout le monde !

Dans la salle des taureaux, il y avait des taureaux bien sûr, mais aussi des licornes et des ours ! Les hommes préhistoriques étaient vraiment des artistes !

Biz

Lucas

B Coucou !

Hier, je suis tombée sur une piste noire ! Ne vous inquiétez pas, tout va bien ! J'ai juste un peu mal au bras gauche !

Bisous

Manon

C Salut !

Je ne pensais pas que marcher dans le sable serait si fatiguant ! Heureusement que la descente est plus amusante !

À plus !

Robin

2 **Associez maintenant chaque carte postale à l'image correspondante.**

Avant de lire

1 Les mots suivants sont utilisés dans le chapitre 4. Associez chaque mot à sa définition ou à son synonyme.

a l'archéologie
b un studio
c un quartier
d sympa
e l'atmosphère
f bavard

1 ☐ Qui parle beaucoup.
2 ☐ Petit appartement composé d'une seule pièce.
3 ☐ Partie d'une ville.
4 ☐ Étude des civilisations anciennes d'après les monuments, les objcts et les textes qu'elles ont laissés.
5 ☐ Agréable, gentil.
6 ☐ L'ambiance.

2 Les verbes suivants sont utilisés dans le chapitre 4. Replacez chaque verbe dans la phrase correspondante.

cache **cloche** **s'inquiète**
déménage **prend la parole** **se disputent**

1 Lorsque quelque chose ne va pas ou est bizarre, on dit que ça ....
2 Si je sors et que ma mère ne sait pas où je suis, elle ....
3 Lorsque deux personnes ne sont pas d'accord et qu'elles sont très énervées, elles ....
4 Je ne veux pas que ma sœur utilise mon ordinateur, alors je le .... sous mon lit.
5 Lorsque quelqu'un commence à parler, on dit qu'il ....
6 Quand on change de maison, on ....

CHAPITRE 4

Après un long silence, Manon prend la parole.

— Louise est étudiante en archéologie. Elle a habité ici avant que tu arrives.

— Puis un beau jour, continue Thomas, elle nous a annoncé : « Je m'en vais. J'ai trouvé un studio dans un autre quartier de la ville. Demain, je déménage ». Effectivement, le lendemain, nous sommes rentrés et sa chambre était complètement vide. Elle n'a laissé ni sa nouvelle adresse ni un numéro de téléphone. Pas même un petit mot pour nous dire au revoir. Tout s'est passé très vite... C'est peut-être pour ça qu'elle a oublié son journal !

— C'est dommage ! Une fille aussi sympa..., dit Manon.

— Vers la fin, elle n'était plus très sympa..., ajoute Thomas. Elle était toujours énervée et inquiète.

— Tu exagères ! Et puis elle avait sûrement des problèmes...

— Oui, mais cela ne justifie pas que...

— Eh les amis, ne vous disputez pas ! intervient Emma. Je suis désolée, je ne voulais pas créer de problèmes.

— Mais non ! Ne t'inquiète pas, la rassure Thomas. Tout va bien...

Emma préfère changer de sujet. Elle leur pose des questions sur leur week-end, mais l'atmosphère n'est plus la même. Thomas et Manon ne sont plus très bavards et ils ont perdu leur bonne humeur.

— Vous devez être fatigués, dit Emma. Allez vous coucher ! Demain, une nouvelle semaine de travail commence.

— Oui, tu as raison. En plus, je dois me lever tôt demain matin.

« Quelle drôle [1] d'histoire, pense Emma quand elle est seule dans sa chambre. Cette Louise est une fille plutôt étrange : un journal intime est quelque chose de tellement personnel... Impossible de l'oublier ! Et puis, pourquoi est-elle partie aussi vite, sans dire au revoir ni laisser un mot. Selon moi, il y a quelque chose qui cloche. Quand j'aurai le temps, j'essaierai d'ouvrir le journal. Peut-être que je trouverai une explication à toute cette histoire. »

En attendant, elle cache le journal dans le tiroir de son bureau.

1. **Drôle** : ici, bizarre, étonnant.

Compréhension écrite et orale

1 Lisez le chapitre, puis cochez la bonne réponse.

1 Avant de partir, Louise
- a ☐ a laissé son numéro de téléphone.
- b ☐ a laissé son adresse.
- c ☐ n'a rien laissé.

2 Elle est partie parce qu'elle avait trouvé
- a ☐ de nouveaux amis.
- b ☐ un nouvel appartement.
- c ☐ un nouveau travail.

3 À la fin, elle était souvent
- a ☐ énervée et inquiète.
- b ☐ joyeuse et enthousiaste.
- c ☐ triste et inquiète.

4 Thomas se dispute avec
- a ☐ Louise.
- b ☐ Emma.
- c ☐ Manon.

5 Emma ne voulait pas
- a ☐ créer de problèmes.
- b ☐ rencontrer Louise.
- c ☐ voir Manon et Thomas.

6 Emma cache le journal
- a ☐ dans son armoire.
- b ☐ dans son bureau.
- c ☐ sous son lit.

2 Lisez le chapitre, puis répondez aux questions.

1 Comment s'appelle l'ancienne colocataire de Thomas et Manon ?
2 Qu'étudie-t-elle ?
3 Où est-elle partie ?
4 Que pense Manon de l'ancienne colocataire ?
5 D'après Thomas, pourquoi a-t-elle oublié son journal ?
6 Pourquoi Manon et Thomas se disputent-ils ?

Grammaire

Le passé composé

On emploie le passé composé pour raconter des événements passés.

La formation du passé composé est la suivante :
l'auxiliaire **être** ou **avoir** au présent de l'indicatif + **participe passé** du verbe.

On utilise **être** avec les verbes intransitifs de déplacement (**aller**, **partir**, **venir**...) et les verbes pronominaux, et **avoir** avec tous les autres.

*Un soir, nous **sommes rentrés** [...]*
*Tout s'**est passé** très vite.*
*J'**ai trouvé** un studio dans un autre quartier.*

3 Complétez les phrases avec l'auxiliaire *être* ou *avoir* à la forme qui convient.

1 Je .... allé chez mes parents.
2 Mes parents .... préparé de bons petits plats.
3 Nous .... rentrées de vacances hier.
4 Quand ....-vous parlé avec Louise pour la dernière fois ?
5 Tu .... passé une bonne journée ?
6 Elle .... venue chez moi la semaine dernière.
7 Nous .... partis sans dire au revoir.
8 Elle .... oublié son journal intime.

Enrichissez votre **vocabulaire**

4 Associez chaque état d'âme ou trait de caractère à la photo correspondante.

a	énervé	d	timide	g	inquiet
b	triste	e	curieux	h	impatient
c	joyeux	f	terrifié	i	étonné

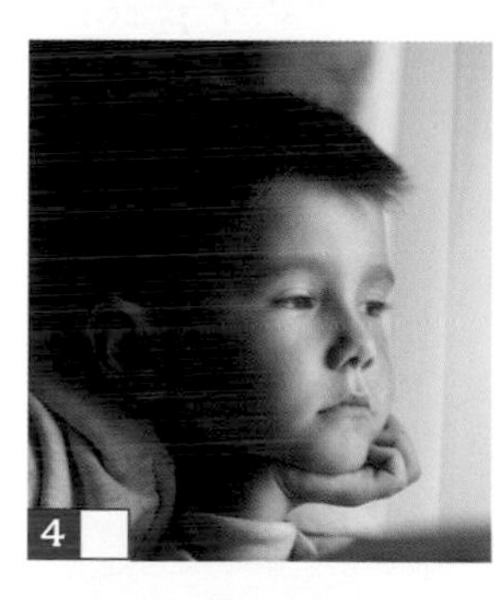

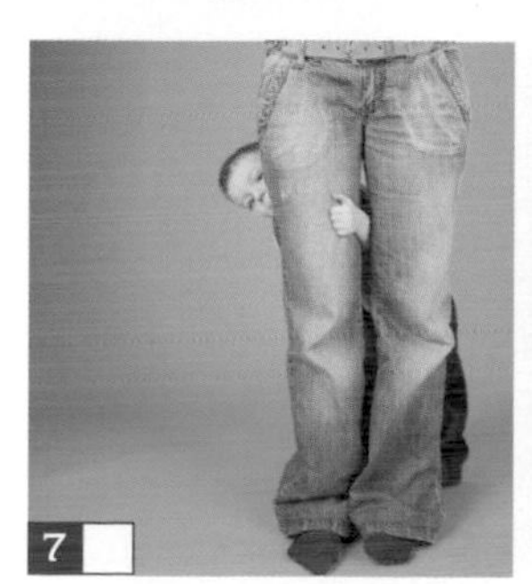

PROJET **INTERNET**

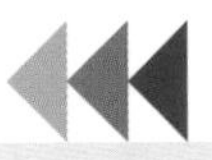

Bordeaux

Vous voulez présenter un dépliant publicitaire sur la ville de Bordeaux à vos amis. Trouvez les informations les plus intéressantes sur Internet, puis rédigez le dépliant en vous aidant des questions suivantes.

1 Par quels moyens peut-on arriver à Bordeaux ?

2 Quand est ouvert l'office de tourisme ?

3 En combien de quartier est divisée la ville de Bordeaux ? Citez-les.

4 Que trouva-t-on en 1832 sous la place Saint-Pierre ?

5 Cherchez un restaurant qui cuisine des spécialités du Sud-Ouest dans le quartier Saint-Pierre à moins de 30 euros.

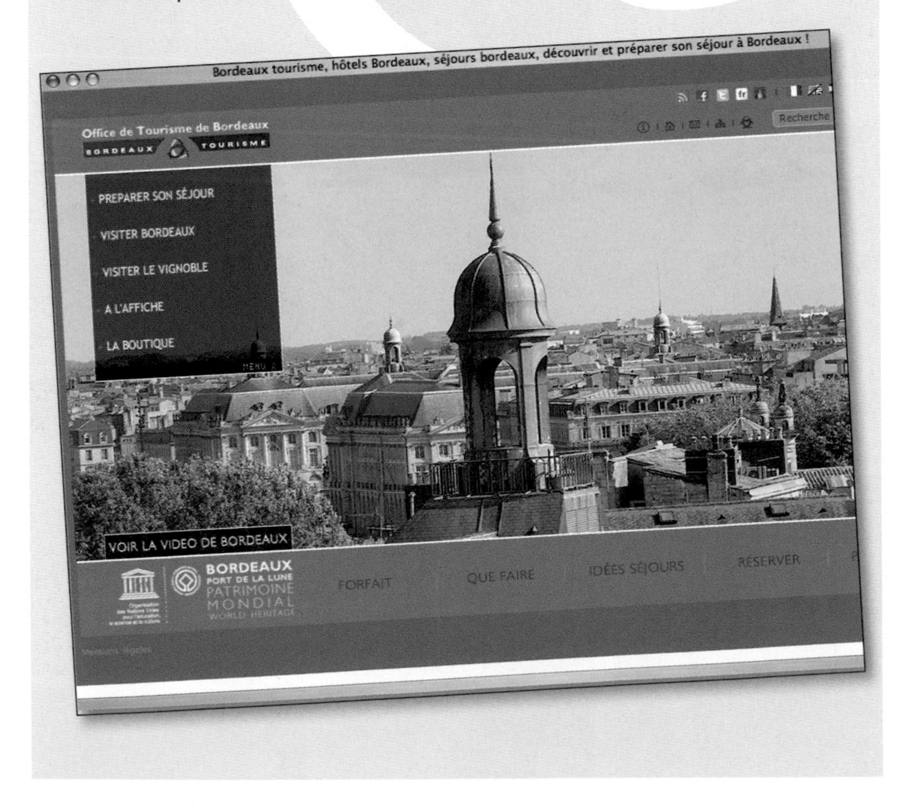

Avant de lire

Les mots suivants sont utilisés dans le chapitre 5. Associez chaque mot à l'image correspondante.

a des fouilles
b des notes
c des taches d'encre
d un collier
e un couteau
f une œuvre d'art

CHAPITRE 5

Un message énigmatique

Les jours qui suivent, Emma a beaucoup de travail à faire pour la fac : elle ne pense plus au journal de Louise.

8

Lorsque le week-end arrive, Emma est de nouveau seule. Manon et Thomas sont chez leurs parents et Lucas travaille. Lorsqu'elle ouvre le tiroir de son bureau pour ranger ses cours, elle tombe sur[1] le journal.

Elle essaie de l'ouvrir avec un couteau. Ce n'est pas facile, mais elle y arrive sans se faire mal. La jeune Bavaroise commence à le feuilleter : c'est bien le journal de Louise ! Sur les premières pages, il y a seulement des notes sur la vie de Louise à Bordeaux. Elle parle surtout de son travail au musée d'Aquitaine où elle est chargée de ranger et de cataloguer tous les objets découverts lors de fouilles dans les environs. Louise y travaille souvent le week-end et pendant les vacances. Emma est un peu déçue : elle

1. **Tomber sur** : ici, trouver par hasard.

espérait trouver quelque chose de passionnant, mais en réalité, ce journal est très ennuyeux. Elle décide d'aller faire un tour en ville. Il fait beau et prendre l'air lui fera du bien.

Mais avant de refermer le journal, elle aperçoit une page un peu différente des autres. L'écriture révèle une certaine nervosité, les taches d'encre aussi.

Bordeaux, le 14 septembre
Je ne sais pas quoi faire, je suis désespérée, ils ont tout découvert.
Laurent m'a téléphoné, ils veulent savoir où est le collier.
J'ai fait comme si je ne savais rien. Mais il ne m'a pas crue. Il était furieux !
Il m'a menacée de tout raconter. J'ai peur, très peur.
Je dois partir. Je ne sais plus quoi faire...
Je dois disparaître !!!

Emma est terrifiée et ne sait pas comment réagir. Elle lit et relit le texte plusieurs fois, mais cela ne sert à rien : elle ne comprend pas de quoi parle Louise. « Quel collier ? Qui est Laurent ? Pourquoi Louise a-t-elle si peur ? »

Elle décide de sortir pour se changer les idées, mais elle ne peut pas s'empêcher de penser au journal. « Louise est sûrement en danger » se dit-elle.

Soudain, elle a une idée : « Je vais appeler Lucas ! Il s'occupe d'œuvres d'art volées et d'affaires de ce genre. Louise parle d'un collier qui a disparu, il fait peut-être partie de la collection du musée. Lucas peut probablement m'aider à comprendre cette histoire ! »

Elle appelle son ami, mais son portable est éteint. Elle décide alors d'appeler le commissariat de police où il travaille.

— Allô, bonjour, je m'appelle Emma Schneider. Je voudrais parler à Lucas Maurin, s'il vous plaît.

— Ne quittez pas, je vous le passe.

Quelques instants plus tard, elle entend la voix de Lucas.

— Salut Lucas, c'est Emma. Je suis désolée de te déranger au travail, mais j'ai absolument besoin de te voir.

— Qu'est-ce qui t'arrive ? demande le policier, un peu inquiet.

— Rien de grave, mais je préfère ne pas parler de ça au téléphone. On peut se voir après ton service ? Tu passes chez moi ?

— Oui. Je serai là vers 20 h 30, d'accord ?

Lorsque Lucas arrive, Emma lui raconte tout et lui montre le journal intime de Louise.

— Elle est dans de beaux draps maintenant[2] !

Il commence à réfléchir. Quelques minutes plus tard, il regarde Emma avec un grand sourire et s'exclame :

— Tu sais ce qu'on va faire ? Mardi, c'est mon jour de repos : si tu as le temps, on peut essayer de chercher Louise. On va commencer par le musée... C'est là qu'elle travaille, non ? Et puis, cette histoire de collier est sûrement liée à son travail...

— C'est une bonne idée, dit Emma. Mais à ton avis, Louise est en danger ?

— Probablement, dit Lucas. Ne t'inquiète pas, nous allons la retrouver.

2. **Être dans de beaux draps** : être dans une situation difficile.

Compréhension écrite et orale

1 Écoutez l'enregistrement du chapitre, puis choisissez les mots qui conviennent.

1 Pendant la semaine, Emma a beaucoup de travail à faire pour *la fac/le bac* et elle range ses *cahiers/cours* dans son bureau.
2 Thomas et Manon passent le week-end chez leurs *amis/parents* et Emma est *avec Lucas/toute seule*.
3 Emma ouvre le journal intime de *Louise/Thomas* avec *une fourchette/un couteau* et elle le *lit/jette*.
4 Louise travaille au Musée d'Aquitaine pendant le week-end et les *vacances/jours fériés*.
5 Emma est *déçue/contente* parce qu'elle pensait trouver des choses *ennuyeuses/intéressantes* dans le journal de Louise.
6 Finalement elle trouve une page *identiques/différentes* des autres, parce que l'écriture est *nerveuse/petite*.
7 Après avoir lu ces pages, Emma est *terrifiée/heureuse* et elle comprend que Louise est en *danger/vacances*.
8 Emma décide d'appeler *Lucas/Thomas et Manon*.

2 Lisez le chapitre, puis devinez quel personnage se cache derrière chaque affirmation.

1 Elle passe le week-end seule. ....
2 Elle passe le week-end chez ses parents. ....
3 Elle lit le journal intime de Louise. ....
4 Elle travaille au musée d'archéologie. ....
5 Il a téléphoné à Louise. ....
6 Le mardi, c'est le jour où il ne travaille pas. ....
7 Il passe chez Emma à 20h30. ....
8 Il pense que Louise est en danger. ....

3 **Associez ces musées de Bordeaux à leur description.**

1 ☐ Le musée des Douanes
2 ☐ Le musée d'Aquitaine
3 ☐ Le musée des Compagnons du Tour de France
4 ☐ Le centre Jean Moulin

a Ce musée est consacré à la Seconde Guerre mondiale. On y trouve une collection consacrée à la Résistance, une collection consacrée à la Déportation et une troisième consacrée aux Forces Françaises Libres.

b Ce musée, créé par Napoléon Bonaparte, a perdu 16 tableaux pendant l'incendie de décembre 1870. Cependant, il possède des toiles de Van Dyck, Rubens, Titien et Pérugin.

c Il existe une école pour les charpentiers, les maçons, les menuisiers, et les serruriers. À la fin de leurs études, les étudiants doivent créer une œuvre que le musée expose.

d Suite au traité de Schengen, ce métier a pratiquement disparu, mais le musée présente un parcours historique de l'antiquité à nos jours en expliquant l'organisation et le fonctionnement du contrôle aux frontières.

Enrichissez votre **vocabulaire**

4 **Lorsqu'ils parlent, les Français abrègent souvent les mots, comme par exemple dans ce chapitre, le mot *fac* à la place de *faculté*. Aidez-vous du dictionnaire pour trouver les mots correspondants à chaque abréviation.**

1 la clim ....
2 un prof ....
3 le ciné ....
4 la télé ....
5 un resto ....
6 une expo ....
7 un dico ....
8 une rando ....
9 une promo ....
10 la récré ....
11 une intro ....
12 les actus ....

5 **Retrouvez dans le chapitre les mots ou les expressions qui correspondent à chaque définition.**

1. Emma a des leçons à la fac : elle suit des _ _ u _ _ .
2. Emma tourne les pages du journal intime et elle les regarde rapidement : elle f _ _ i _ _ _ _ _ e le journal intime.
3. Louise fait la liste de toutes les œuvres d'art du musée : elle les c _ _ _ l _ _ u _ .
4. Lorsque l'on est responsable de l'organisation d'une exposition, on dit que l'on est _ _ _ r _ _ _ _ l'organisation de l'exposition.
5. Emma habite à deux cent mètres de l'université : elle habite dans les _ _ _ _ r _ n _ .
6. Lorsque quelque chose n'est pas intéressant, on dit que c'est e _ _ _ y _ _ _ .
7. Quand l'on sort pour se promener ou pour penser à autre chose, on sort pour _ r _ _ _ _ e l' _ _ _ .
8. Pour faire attendre une personne au téléphone, on lui demande de _ _ _ _ _ q _ _ _ te _ .
9. Lorsqu'un policier est en train de travailler, on dit qu'il est en s _ _ _ i _ _ .
10. Le jour où l'on ne travaille pas est un _ o _ _ de _ e _ o _ .

Production écrite et orale

DELF **6** **Vous êtes-vous déjà retrouvé dans une situation difficile ? Comment avez-vous résolu le problème ?**

DELF **7** **Aimez-vous les romans policiers ? Expliquez pourquoi vous aimez ou n'aimez pas ce genre de roman.**

PROJET **INTERNET**

Le musée d'Aquitaine

À Bordeaux se trouve un important musée qui retrace l'histoire de la région de la Préhistoire à nos jours. Préparez une brochure sur ce musée en indiquant les services qu'il propose, les jours et horaires de visite, les événements et manifestations proposés, etc.

Cherchez ces informations sur Internet, puis rédigez la brochure en vous aidant des questions suivantes.

- Quand le musée a-t-il été inauguré ?
- Quelles sont les deux missions que s'est fixé le musée ?
- En combien de domaines est divisé l'espace d'exposition ?
- Quel est le thème des collections iconographiques ?
- Quels sont les horaires d'ouverture ?
- Où se trouve le musée ?

Avant de lire

1 **Les mots suivants sont utilisés dans le chapitre 6. Associez chaque mot à l'image correspondante.**

a une caissière
b une carte postale
c un gardien
d un présentoir
e un vase
f une vitrine

2 **Les mots suivants sont utilisés dans le chapitre 6. Associez chaque mot à son synonyme.**

a anormal **b** brève **c** considérable **d** fasciné **e** orné **f** pâle

1 ☐ blanc
2 ☐ courte
3 ☐ décoré
4 ☐ émerveillé
5 ☐ important
6 ☐ inhabituel

CHAPITRE 6

Au musée

Le musée n'a que quelques salles, mais la plupart des objets exposés ont une valeur considérable. Dans une vitrine de la première salle, il y a plusieurs vases de différentes tailles. Emma les observe et semble fascinée. De temps à autre, Lucas lui montre un objet et lui explique qu'il est très difficile de récupérer les œuvres d'art volées chaque année, en France. La jeune fille l'écoute attentivement.

Lorsqu'ils entrent dans la salle où se trouvent les bijoux et les objets précieux, Emma est émerveillée. Elle admire les bagues, les colliers, les bracelets, et les croix, qui sont finement travaillés et ornés de pierres précieuses. Le policier et la jeune Allemande passent d'une vitrine à l'autre et observent attentivement tous les objets.

Quand ils arrivent à la dernière, Emma pousse un petit cri d'admiration face à une bague qu'elle trouve magnifique.

CHAPITRE 6

— Regarde comme elle est belle ! Elle n'a qu'une seule pierre précieuse, mais elle est magnifique.

— Tu as raison. C'est un véritable chef-d'œuvre ! dit le policier.

Emma et Lucas n'ont pas oublié pourquoi ils sont là, mais jusqu'à présent, ils n'ont rien remarqué d'anormal. Avant de sortir, la jeune fille s'arrête un instant pour regarder les cartes postales. Soudain, le téléphone de la caisse sonne. Après une brève conversation, la caissière appelle un des gardiens :

— Laurent ! Un coup de fil [1] pour toi !

Lorsqu'elle entend ce prénom, Emma demande à Lucas à voix basse :

— Louise parle bien d'un Laurent dans son journal, n'est-ce pas ?

— Oui. Restons ici un instant et voyons ce qui se passe...

Emma et Lucas se cachent derrière le présentoir des cartes postales. Un jeune homme au visage sympathique se dirige rapidement vers la caisse. Il prend le téléphone et écoute. La conversation ne dure pas longtemps et le gardien ne dit pas grand-chose. Lorsqu'il raccroche, il est pâle et semble nerveux.

— Merci, Sandrine. Excuse-moi, mais je dois partir immédiatement ! dit le jeune homme. Il s'est passé quelque chose de grave chez moi. Tu peux prévenir le directeur, s'il te plaît ?

Il n'attend pas la réponse de sa collègue et part à toute vitesse.

Emma et Lucas décident de le suivre. Ils sortent du musée et montent à bord de la voiture de Lucas.

1. **Un coup de fil** : appel téléphonique.

Compréhension écrite et orale

1 Lisez le chapitre, remettez les mots dans l'ordre, puis remettez les phrases dans l'ordre chronologique de l'histoire.

a ☐ et Lucas/le gardien/Emma/de suivre/décident.
b ☐ une bague/voit/Emma/magnifique.
c ☐ le musée/Lucas et Emma/d'Aquitaine/visitent.
d ☐ de la caisse/ répond/Le téléphone/ et la caissière/sonne.
e ☐ les cartes postales/de sortir/regarde/du musée/Emma/avant.
f ☐ observent/Lucas/la scène/et Emma.
g ☐ Laurent/un gardien/appelle/La caissière/qui s'appelle.
h ☐ conversation téléphonique,/Immédiatement/du musée/ Laurent/après la/et il part/est nerveux.
i ☐ sont exposés/Dans la première/des vases/salle du musée.
j ☐ Tout/dans le musée/normal/est.

2 Écoutez l'enregistrement du chapitre, puis répondez aux questions.

1 Le musée est-il petit ?
2 Les objets exposés ont-ils une grande valeur ?
3 Qu'est-ce qu'admire Emma ?
4 Pourquoi pousse-t-elle un petit cri dans la dernière salle ?
5 Que fait Emma avant de sortir du musée ?
6 Comment s'appelle le gardien du musée ?
7 Où Emma et Lucas se cachent-ils ?
8 À la fin de l'appel, dans quel état se trouve le gardien ?
9 Quelle excuse donne-t-il pour quitter le musée ?
10 Que décident de faire Emma et Lucas ?

Enrichissez votre **vocabulaire**

3 Associez chaque pierre précieuse à l'image correspondante.

a un diamant **b** une émeraude **c** un rubis **d** un saphir

1 ☐ 2 ☐ 3 ☐ 4 ☐

4 Associez chaque bijou à la partie du corps où il se porte.

1 ☐ une alliance
2 ☐ une bague
3 ☐ des boucles d'oreille
4 ☐ un bracelet
5 ☐ une chevillière
6 ☐ un collier
7 ☐ un diadème
8 ☐ une gourmette

a le doigt
b les oreilles
c le poignet
d la cheville
e le cou
f la tête

5 Indiquez maintenant les parties du corps citées dans l'exercice précédent.

1 ☐ 2 ☐ 3 ☐ 4 ☐ 5 ☐ 6 ☐

Grammaire

Les pronoms complément d'objet indirect (COI)

	Singulier	**Pluriel**
1ère personne	me	nous
2e personne	te	vous
3e personne	lui	leur

Les COI servent à éviter la répétition d'un nom complément d'objet indirect. Ils se placent devant le verbe.

Lucas ***lui*** *montre un objet.*

Lui remplace **Emma**.

Me et **te** s'apostrophent devant une voyelle ou un h muet.

Elle ***t'****écrit.*

6 Répondez affirmativement aux questions en remplaçant le nom ou le pronom souligné par un pronom COI.

1 Est-ce que tu me téléphones demain ?
Oui, je ....

2 Est-ce que tu peux me donner tes vieux livres ?
Oui, je ....

3 Est-ce que ton père va t'acheter une voiture ?
Oui, mon père ....

4 Est-ce que tu as parlé au médecin ?
Oui, je ....

5 Est-ce qu'il vous a promis une récompense ?
Oui, il ....

6 Est-ce qu'elle sort avec Lucas ?
Oui, elle ....

Production écrite et orale

7 Citez les plus importants musées de votre ville et présentez le thème de chacun.

8 Aimeriez-vous travailler dans un musée ? Expliquez pourquoi.

Avant de lire

1 **Les mots suivants sont utilisés dans le chapitre 7. Associez chaque mot à l'image correspondante.**

a un buisson
b une impasse
c un boulevard
d une place
e un feu
f une voie

2 **Les mots suivants sont utilisés dans le chapitre 7. Associez chaque mot à sa définition**

a céder
b une usine
c freiner
d doubler
e être pressé
f les décombres

1 ☐ Faire ce qu'une autre personne veut.
2 ☐ Bâtiment où l'on fabrique des produits ou des objets.
3 ☐ Ne pas avoir le temps.
4 ☐ Restes d'un bâtiment détruit.
5 ☐ Ralentir ou arrêter la marche d'un véhicule.
6 ☐ Passer devant.

CHAPITRE 7

La poursuite

10

Lucas essaie de suivre Laurent en voiture, mais ce n'est pas facile parce que le gardien conduit vite et n'est pas très prudent.

Il tourne à droite après la place du musée, puis il prend une petite route qui arrive sur un boulevard. Il double, passe d'une voie à l'autre, ce qui énerve les autres automobilistes.

Il est cinq heures et c'est l'heure de pointe [1] : les automobilistes sont pressés de rentrer chez eux. Ils perdent facilement patience et klaxonnent souvent. Au milieu de toute cette agitation, Laurent ne se rend pas compte qu'il est suivi.

À la fin du boulevard, le gardien tourne à gauche. Pour réussir à le suivre, Lucas est obligé de conduire vite. Il remarque qu'Emma est très blanche.

— Je suis désolé ! lui dit-il. Ça va ? Tu as peur ?

1. **L'heure de pointe** : moment de la journée où la circulation est la plus importante.